U0347881
1580242616

中华人民共和国国家标准

110(66)kV～220kV 智能变电站设计规范

Code for design of 110(66)kV～220kV smart substation

GB/T 51072 - 2014

主编部门：中 国 电 力 企 业 联 合 会
批准部门：中华人民共和国住房和城乡建设部
施行日期：2 0 1 5 年 8 月 1 日

中国计划出版社

2014 北 京

中华人民共和国国家标准

110(66)kV～220kV 智能变电站

设 计 规 范

GB/T 51072-2014

☆

中国计划出版社出版

网址:www.jhpress.com

地址：北京市西城区木樨地北里甲 11 号国宏大厦 C 座 3 层

邮政编码：100038　电话：(010) 63906433（发行部）

新华书店北京发行所发行

三河富华印刷包装有限公司印刷

850mm×1168mm　1/32　2 印张　46 千字

2015 年 5 月第 1 版　2015 年 5 月第 1 次印刷

☆

统一书号：1580242·616

定价：12.00 元

中华人民共和国住房和城乡建设部公告

第668号

住房城乡建设部关于发布国家标准《110(66)kV～220kV智能变电站设计规范》的公告

现批准《110(66)kV～220kV智能变电站设计规范》为国家标准，编号为GB/T 51072—2014，自2015年8月1日起实施。

本规范由我部标准定额研究所组织中国计划出版社出版发行。

中华人民共和国住房和城乡建设部

2014年12月2日

前　言

本规范是根据住房城乡建设部《关于印发〈2012年工程建设标准规范制订、修订计划〉的通知》（建标〔2012〕5号）的要求，由国家电网公司会同有关单位共同编制而成。

本规范在编制过程中，编制组进行了深入的调查研究，认真总结我国智能变电站试点建设成果，吸收最新科研成果，梳理、细化智能变电站设计相关技术要求，形成"安全可靠、先进适用、经济合理、节能环保"的智能变电站技术原则和要求，并广泛征求了有关方面的意见，最后经审查定稿。

本规范共分9章和1个附录，主要技术内容包括：总则、术语、站址选择和总布置、电气一次、二次系统、土建、消防、节能和环保、劳动安全和职业卫生等。

本规范由住房城乡建设部负责管理，中国电力企业联合会负责日常管理，国家电网公司负责具体技术内容的解释。在本规范执行过程中如有修改或补充，请将意见或建议寄送国家电网公司（地址：北京市西城区西长安街86号；邮编：100031），以供今后修订时参考。

本规范主编单位、参编单位、主要起草人和主要审查人：

主编单位：国家电网公司

参编单位：国网江苏省电力公司
国网福建省电力有限公司
国网河南省电力公司
江苏省电力设计院
福建省电力勘测设计院
河南省电力勘测设计院

新疆电力设计院

主要起草人: 褚　农　丁广鑫　蔡敬东　张　强　郭艳霞
胡君慧　闫培丽　秦　健　尹　元　程宏伟
孙纯军　鲁东海　卫银忠　黄皖生　林传伟
朱秀琴　杨　珂　吴超一　黄晓博　罗力勤
连　辉　阎　智　张红梅　王海燕

主要审查人: 陈志蓉　王　静　刘有为　陈　波　郑　海
曾　健　陈　跃　杨国富　蒲　皓　鲁丽娟
杨卫星　张光弢　刘建秋　叶　军　姚秦生

目　次

Contents

1 总　　则

1.0.1 为规范智能变电站设计技术原则，使变电站的设计符合国家的有关政策、法规，做到安全可靠、先进适用、经济合理、节能环保，制定本规范。

1.0.2 本规范适用于交流电压为110(66)kV～220kV的智能变电站(开关站)新建工程的设计。

1.0.3 智能变电站应具有信息采集数字化、通信平台网络化、信息共享标准化、系统功能集成化、结构设计紧凑化、高压设备智能化和运行状态可视化等技术特征。

1.0.4 智能变电站设计应采用可靠、经济、集成、节能、环保的技术和设备，符合易扩建、易升级、易改造、易维护的工业化应用要求。

1.0.5 110(66)kV～220kV智能变电站设计除应符合本规范外，还应符合国家现行有关标准的规定。

2 术语

2.0.1 变电站自动化系统 substation automation system (SAS)

运行、保护和监视控制变电站一次系统的系统，实现变电站内自动化，包括智能电子设备和通信网络设施的自动化。

2.0.2 设备状态监测 condition-based monitoring of equipment

通过传感器、计算机、通信网络等技术，及时获取反应设备正常运行状态的各种特征参量，并运用一定算法的专家系统软件进行分析处理，可对设备的运行状态及可靠性作出判断，从而及早发现潜在的故障，辅助状态检修决策。

2.0.3 变电站监控系统 supervision and control system of substation

对变电站内系统或设备进行连续或定期的监测及控制的系统，通过监测来核实功能是否被正确执行，并使它们的工作状况适应于变化的运行要求。

2.0.4 通用面向变电站事件对象 generic object oriented substation event(GOOSE)

一种满足变电站自动化系统快速报文需求的机制，简写为"GOOSE"。主要用于实现在多个IED之间的信息传递，包括调整跳合闸信号，具有高传输成功概率。

2.0.5 采样值 sampled value(SV)

基于发布/订阅机制，交换采样数据集中的相关模型对象和服务，以及这些模型对象和服务到ISO/IEC8802-3帧之间的映射。

2.0.6 智能终端 smart terminal

一种智能组件，与一次设备采用电缆连接，与保护、测控等二次设备采用光纤连接，实现对一次设备（如断路器、隔离开关、主变压器等）的测量、控制等功能。

2.0.7 集成装置 integrated device

按照一定的整合原则，如按照被控对象、输入数据质量需求或控制策略优化等原则，将常规不同IED设备所承载的不同功能进行整合而成的一个或几个IED构成的系统，以期达到简化二次设备配置、减少信息重复采集、优化控制策略的目的。

2.0.8 预制光缆 prefabricated optic cable

经过工厂预处理后，在光缆的一端或两端根据需要连接各种类型的光纤连接器，可实现预制端在施工现场的无熔接接续点的连接或直连的光缆。

2.0.9 智能控制柜 smart control cabinet

用于安装智能组件的柜体。智能控制柜为智能组件各个IED、网络通信设备等提供防尘、防雨、防盐雾、防电磁骚扰等防护设施，以及电源、电气接口、温（湿）度控制、照明等运行设施，使智能组件能够在变电站现场环境中长期安全运行。

3 站址选择和总布置

3.1 站址选择

3.1.1 站址选择应符合现行行业标准《220kV～750kV变电站设计技术规程》DL/T 5218的有关规定。

3.1.2 站址应根据电力系统的要求，符合城乡规划，结合进出线条件、设备运输、供水、供电、防洪防涝设施等因素，通过技术经济比较后确定。

3.1.3 站址应具有适宜的地质、地形条件，应避开滑坡、泥石流、塌陷区和地震断裂地带等不良地质构造。

3.1.4 站址选择时，应合理使用土地，节约用地，不占或少占耕地和经济效益高的土地，并应减少土石方量。

3.1.5 站址选择时，应做好变电站与邻近设施、周围环境的统筹协调，避让自然保护区和人文遗址，不压覆矿产资源等，必要时应取得相关部门的书面许可或协议。

3.2 总布置

3.2.1 总布置应符合现行行业标准《220kV～750kV变电站设计技术规程》DL/T 5218和《变电站总布置设计技术规程》DL/T 5056的有关规定。

3.2.2 总平面的位置和方向、进站道路、排水路径、线路进出方向及形式应结合站址环境条件和规划要求确定。

3.2.3 总布置应根据工艺要求，利用自然地形，布置应紧凑合理、方便扩建。

3.2.4 建筑布置应根据工艺要求和使用功能统一规划，宜结合工程条件采用联合建筑形式，提高场地使用效益，节约用地。

3.2.5 配电装置选型应因地制宜,技术经济指标合理时,宜采用占地少的配电装置型式。

3.2.6 竖向设计应与站址周边现有或规划道路、排水系统、场地标高等相协调,宜采用平坡式或阶梯式布置,站区排水宜采用自流式排水。

3.2.7 光缆、电缆通道宜根据工艺和场地情况选用沟道、槽盒、隧道和电缆埋管等方式。

3.2.8 围墙宜采用高度不低于2.3m的实体墙,围墙顶部应设置电子围栏。

3.2.9 大门宜采用轻型实体大门。

4 电 气 一 次

4.1 电气主接线

4.1.1 220kV 变电站电气主接线设计应符合现行行业标准《220kV～750kV 变电站设计技术规程》DL/T 5218 的有关规定；110(66)kV 变电站电气主接线设计应符合现行国家标准《35kV～110kV 变电站设计规范》GB 50059 的有关规定。

4.1.2 电气主接线应根据变电站在电力系统中的地位、变电站的规划容量、负荷性质、线路和变压器连接元件总数、设备特点等条件确定，并应满足供电可靠、运行灵活、投资节约和便于过渡或扩建等要求。

4.1.3 在满足供电安全可靠的条件下，宜简化接线，初期回路数较少时，在布置上应满足过渡到最终接线的可实施性。

4.2 高压设备选择

4.2.1 高压设备选择应符合现行行业标准《导体和电器选择设计技术规定》DL/T 5222 的有关规定。

4.2.2 宜选用可靠性高、维护量小、经济环保的高压设备。

4.2.3 高压设备选型宜综合考虑测量数字化、状态可视化、功能一体化和信息互动化的要求。

4.2.4 高压设备配置应满足安全性、有效性、可靠性、必要性、经济性的原则。应根据运行需求，综合考虑电压等级、设备重要性等因素，确定合理的智能化配置方案。

4.2.5 主变压器、高压电抗器可根据工程实际需求，通过设置于设备本体的传感器，配置相关的智能组件实现冷却装置、有载分接开关的智能控制，配置状态监测 IED 实现相应状态监测。

4.2.6 组合电器(GIS和HGIS)可根据工程实际需求，通过设置于组合电器的传感器，配置相关的智能组件实现智能控制，配置状态监测IED实现相应状态监测。

4.2.7 柱式断路器可根据工程实际需求，通过设置于高压断路器的传感器，配置相关的智能组件实现智能控制，配置状态监测IED实现相应状态监测。

4.2.8 220kV电压等级避雷器宜配置动作次数、泄漏电流、阻性电流等参量的监测功能。

4.2.9 互感器的选择应符合下列规定：

1 110(66)kV～220kV电压等级可采用电子式互感器，也可采用常规电磁式互感器。

2 35kV及以下电压等级可采用常规电磁式互感器，也可采用电子式互感器。

3 电子式互感器应符合现行国家标准《互感器　第7部分：电子式电压互感器》GB 20840.7和《互感器　第8部分：电子式电流互感器》GB 20840.8的有关规定。

4 电子式互感器可为独立设备，也可集成于其他高压设备。

4.3 配电装置及无功补偿

4.3.1 高压配电装置设计应符合国家现行标准《3～110kV高压配电装置设计规范》GB 50060和《高压配电装置设计技术规程》DL/T 5352的有关规定。

4.3.2 高、低压并联电抗器和并联电容器及其他无功补偿装置的设计应符合国家现行标准《并联电容器装置设计规范》GB 50227和《35kV～220kV变电站无功补偿装置设计技术规定》DL/T 5242的有关规定。

4.3.3 当变电站有太阳能、风能等清洁能源接入时，无功补偿装置的配置宜满足其接入的要求。

4.4 过电压保护和接地

4.4.1 过电压保护和绝缘配合设计应符合现行行业标准《交流电气装置的过电压保护和绝缘配合》DL/T 620 的有关规定。

4.4.2 接地的设计应符合现行国家标准《交流电气装置的接地设计规范》GB/T 50065 的有关规定。

4.5 站 用 电

4.5.1 站用电设计应符合国家现行标准《35kV～110kV 变电站设计规范》GB 50059、《低压配电设计规范》GB 50054 和《220kV～500kV 变电所所用电设计技术规程》DL/T 5155 的有关规定。

4.5.2 根据变电站地理条件,可利用太阳能和风能等清洁能源作为站用电源的补充。

4.6 照 明

4.6.1 照明设计应符合国家现行标准《建筑照明设计标准》GB 50034 和《火力发电厂和变电站照明设计技术规定》DL/T 5390 的有关规定。

4.6.2 户外照明宜采用自动节能控制,户内建筑的通道照明宜设感应控制。

4.6.3 站内照明宜与图像监视、火灾报警、电子围栏等实现联动控制。

4.7 光、电缆选择及敷设

4.7.1 电缆选择与敷设设计应符合现行国家标准《电力工程电缆设计规范》GB 50217 的有关规定。电缆防火封堵的设计应符合现行国家标准《火力发电厂与变电站防火规范》GB 50229 的有关规定。防火封堵材料应符合现行国家标准《防火封堵材料》GB 23864的有关规定。

4.7.2 二次设备室内网络通信连接宜采用超五类屏蔽双绞线，不同房间之间的网络连接宜采用光缆，采样值和保护 GOOSE 等可靠性要求较高的信息传输宜采用光缆。

4.7.3 双重化保护的电流、电压，以及 GOOSE 跳闸控制回路等需要增强可靠性的回路接线，应采用相互独立的电缆或光缆。起点、终点为同一对象的多根光缆宜整合。

4.7.4 光缆的选用应由其传输性能、使用的环境条件决定。除线路保护通道专用光纤外，宜采用缓变型多模光纤。室外光缆宜采用铠装非金属加强芯阻燃光缆，当采用槽盒敷设时，宜采用非金属加强芯阻燃光缆。室内光缆可采用尾缆。每根光缆宜备用 2 芯～4 芯，光缆芯数宜选取 4 芯、8 芯、12 芯或 24 芯。

4.7.5 变电站可采用预制光缆、电缆。

4.7.6 二次设备室活动地板下光缆敷设可采用槽盒。

4.7.7 当光缆与站内电力电缆、控制电缆在同一通道内同一侧的多层支架上敷设时，光缆宜布置在支架的底层，可采用专用的槽盒或聚氯乙烯塑料管保护。

4.7.8 当光缆沿槽盒敷设时，光缆可多层叠置。当光缆穿聚氯乙烯管敷设时，每根光缆宜单独穿管，同一层支架上的聚氯乙烯管可紧靠布置。

5 二次系统

5.1 继电保护及安全自动装置

5.1.1 继电保护和安全自动装置的设计应符合国家现行标准《继电保护和安全自动装置技术规程》GB/T 14285和《电力系统安全稳定导则》DL 755的有关规定。

5.1.2 220kV母联(分段、桥)断路器保护可双重化配置。

5.1.3 双重化配置的继电保护及安全自动装置的输入、输出、网络及供电电源等各环节应完全独立。

5.1.4 110kV及以下电压等级的继电保护设备宜采用集成装置。

5.1.5 110(66)kV～220kV电压等级继电保护及安全自动装置宜采用点对点数字量采样,也可采用网络数字量采样。10(35)kV开关柜内继电保护装置宜采用模拟量采样。

5.1.6 110(66)kV～220kV电压等级继电保护及安全自动装置宜采用网络或点对点数字量跳闸。10(35)kV开关柜内继电保护装置应采用电缆直接跳闸。主变压器、高压并联电抗器非电量保护装置应采用电缆直接跳闸。

5.1.7 备自投、过载联切、低频和低压自动减载等功能可由站域保护控制装置实现。

5.1.8 220kV变电站宜按电压等级和对象配置故障录波装置。110(66)kV变电站可根据需要全站统一配置故障录波装置。故障录波装置宜采用网络方式采集报文。

5.1.9 故障测距可采用数字量采样或模拟量采样,采样率应满足故障测距精度要求。

5.1.10 继电保护及故障信息管理功能宜纳入变电站监控系统统

一实现。

5.2 调度自动化

5.2.1 调度自动化设计应符合现行行业标准《电力系统调度自动化设计技术规程》DL/T 5003 和《地区电网调度自动化设计技术规程》DL/T 5002 的有关规定。

5.2.2 数据通信网关机应满足与调度(调控)中心及其他主站系统进行信息交互的要求,并可根据安全防护方案灵活配置于不同的安全分区;应支持调度(调控)中心对智能变电站进行实时监控、远程浏览及顺序控制等功能;应支持调度(调控)中心采集实时电测量信息及设备状态信息,实现电网广域态势感知等功能。

5.2.3 电能量计量系统设计应符合现行行业标准《电能量计量系统设计技术规程》DL/T 5202 的有关规定。

5.2.4 电能表计宜采用数字量接口,通过网络或点对点采样。贸易结算用关口计量点电能表计可采用模拟量接口,宜采用独立表计。

5.2.5 相量测量装置宜采用网络采样,相量测量装置可采用集成装置。

5.2.6 电能质量监测装置宜采用数字量采样,采样率应满足电能质量监测精度要求。

5.2.7 调度数据网接入设备的设计应符合现行行业标准《电力调度数据网络工程初步设计内容深度规定》DL/T 5364 的有关规定,设备配置应满足调度数据网设计要求,可双套配置。

5.3 通　　信

5.3.1 系统通信及站内通信设计应符合现行行业标准《220kV～500kV 变电所通信设计技术规定》DL/T 5225 的有关规定。

5.3.2 光纤通信设计除应符合现行行业标准《电力系统同步数字系列(SDH)光缆通信工程设计技术规定》DL/T 5404 的规定外,

还应结合所处地域的通信网现状、工程实际业务需求以及各网省公司通信规划。

5.3.3 载波通信设计应符合现行行业标准《电力线载波通信设计技术规定》DL/T 5189 的有关规定。

5.3.4 调度交换机设计应符合现行行业标准《电力系统调度通信交换网设计技术规程》DL/T 5157 的有关规定。

5.3.5 通信电源宜与变电站电源系统一体化设计，应配置2套独立的 DC/DC 转换装置实现对通信设备的－48V 直流电源供电。站内交流故障时，电源应能维持对通信设备供电 2h，偏远地区变电站应能维持供电 4h。

5.4 变电站自动化系统

5.4.1 变电站自动化系统应符合现行国家标准《智能变电站技术导则》GB/T 30155 的有关规定，应采用现行行业标准《电力自动化通信网络和系统》DL/T 860 系列标准中通信标准的规定。

5.4.2 变电站自动化系统宜按逻辑功能划分为过程层、间隔层和站控层，各逻辑功能由相关物理设备实现，单一物理设备可以实现多个逻辑功能。变电站自动化系统结构应符合本规范附录 A 的有关规定。

5.4.3 变电站自动化系统的设计应符合现行行业标准《220kV～500kV 变电所计算机监控系统设计技术规程》DL/T 5149 的有关规定。

5.4.4 变电站自动化系统应具备数据采集、运行监视、操作与控制、智能告警、故障分析、源端维护和数据辨识等功能。构建变电站全景数据，满足数据完整性、准确性和一致性的要求，实现变电站信息统一存储和处理，提供统一规范的数据访问服务。

5.4.5 变电站自动化系统应能实现对变电站可靠、合理、完善的监视、测量、控制，并具备遥测、遥信、遥调、遥控等远动功能，具有与调度通信中心计算机系统交换信息的能力。

5.4.6 变电站自动化系统的网络结构应符合下列规定：

1 站控层网络、过程层网络宜相对独立，减少相互影响。网络拓扑结构宜采用星形。

2 220kV 变电站站控层网络应采用双重化以太网络；110(66)kV 变电站站控层网络宜采用单网。

3 220kV 变电站宜按电压等级设置过程层网络。主变压器各侧、220kV 过程层网络宜采用双网，110(66)kV 过程层网络宜采用单网；110(66)kV 变电站 110(66)kV 电压等级可设置过程层网络，宜采用单网。

4 过程层 SV 网络与 GOOSE 网宜共网设置。

5.4.7 变电站自动化系统的设备配置应符合下列规定：

1 设备配置应符合优化集成原则，利用数据采集数字化和信息共享化，功能整合，采用集成装置。

2 站控层设备应由监控主机、操作员站、工程师站、数据通信网关机、综合应用服务器等各种功能服务器组成，各种功能服务器可根据应用的需要进行功能整合。

3 系统继电保护及安全自动装置的配置应符合本规范第 5.1 节的规定。

4 测控装置宜单套配置。220kV 测控装置宜独立配置，装置可集成计量、相量测量等功能。110(66)kV 宜采用保护测控集成装置，装置也可集成计量等功能。10(35)kV 宜采用集成保护、测控、计量等功能的装置。

5 变电站可配置网络记录分析仪，对站内网络通信报文进行监视、记录，并应能对出现的异常进行告警。

6 计量装置的配置应符合本规范第 5.2.3 条、第 5.2.4 条的规定。

7 220kV 电压等级智能终端宜双套配置，110kV 及以下电压等级智能终端宜单套配置，主变压器各侧智能终端宜双套配置，主变压器本体智能终端宜单套配置，每段母线智能终端宜单套配置。

8 220kV 电压等级合并单元应双套配置，110kV 及以下电压等级合并单元宜单套配置，主变压器各侧及本体合并单元宜双套配置。双母线接线的线路、主变压器进线间隔合并单元应具备电压切换功能，双母线、单母线和桥形等接线型式的母线设备间隔合并单元应具备电压并列功能。

9 交换机应根据变电站网络拓扑结构配置，交换机端口数量满足应用需求，站控层交换机宜按照设备室或电压等级配置；过程层交换机配置应满足传输实时性、可靠性的要求，220kV 宜按间隔配置，110(66)kV 可按电压等级多间隔共用配置。

10 站控层交换机宜采用电口，级联端口宜采用光口。过程层交换机应采用光口。

11 设备状态监测及 IED 设备配置应符合本规范第 4.2.5 条～第 4.2.8 条的规定。

12 智能控制柜宜按间隔配置，宜与一次设备本体一体化设计，应符合二次设备运行环境要求。

5.5 直流系统及不间断电源

5.5.1 直流系统设计应符合现行行业标准《电力工程直流系统设计技术规程》DL/T 5044 的有关规定。

5.5.2 不间断电源设计应符合现行行业标准《电力用直流和交流一体化不间断电源设备》DL/T 1074 的有关规定。

5.5.3 直流系统及不间断电源设计宜采用直流电源、不间断电源(UPS)、直流变换电源(DC/DC)等装置组成的一体化电源系统，其运行工况和信息数据应能统一监视控制。

5.5.4 通信电源宜与站内直流电源整合。

5.5.5 智能控制柜宜以柜为单位配置直流供电回路。当智能控制柜内同时布置有双重化配置的保护测控、合并单元、智能终端、过程层交换机等装置时，宜配置双路公共直流电源。智能控制柜内各装置共用直流电源时，应采用独立空气开关分别引接。

5.6 时间同步系统

5.6.1 时间同步系统的设计应符合现行行业标准《220kV～500kV变电所计算机监控系统设计技术规程》DL/T 5149的有关规定。

5.6.2 变电站应配置公用的时间同步系统，主时钟应双重化配置，应能支持北斗系统和GPS标准授时信号，时间同步精度和守时精度应满足站内所有设备的对时精度要求。

5.6.3 站控层设备宜采用SNTP网络对时方式，间隔层和过程层设备宜采用IRIG-B、1pps对时方式，也可采用IEC 61588对时方式。

5.7 辅助控制系统

5.7.1 变电站应设置辅助控制系统，实现全站图像监视及安全警卫、火灾报警、消防、照明、采暖通风、环境监测等系统的智能联动控制。

5.7.2 辅助控制系统宜符合现行行业标准《电力自动化通信网络和系统》DL/T 860系列标准中的通信标准的规定。

5.7.3 辅助控制系统宜采用开放式系统，系统功能和设备配置应满足变电站运行管理模式的要求。

5.8 二次设备布置及组柜

5.8.1 二次设备室的位置应满足节省电缆、光缆、防尘和防潮等的要求。

5.8.2 二次设备室宜按规划建设规模一次建成，在满足定期巡视和检修的条件下，二次设备室设施应简化，布置应紧凑，应合理预留屏位。

5.8.3 不宜设置独立的通信机房，当变电站按无人值班运行管理模式建设时，不宜设独立的主控制室。

5.8.4 二次设备室的设计和布置应符合监控系统、继电保护设备的抗电磁干扰能力要求。二次设备室抗干扰设计应符合现行国家标准《计算机场地通用规范》GB/T 2887和《计算机场地安全要求》GB/T 9361的有关规定，还应考虑防尘、防潮和防噪声，并应符合国家现行相关防火标准的规定。

5.8.5 站控层设备宜组柜安装，间隔层设备宜按间隔统筹组柜，过程层设备宜安装布置于所在间隔的智能控制柜内，当采用户内配电装置时，间隔层设备宜布置在智能控制柜内。

5.8.6 站控层交换机宜集中组柜或与其他站控层设备共同组柜。过程层交换机宜分散安装于所在间隔或对象保护、测控柜内。集中组柜时，每面屏柜宜布置4台～6台交换机。

5.8.7 二次设备防雷、接地和抗干扰应符合现行行业标准《交流电气装置的接地》DL/T 621、《火力发电厂、变电所二次接线设计技术规程》DL/T 5136和《220kV～500kV变电所计算机监控系统设计技术规程》DL/T 5149的有关规定。

5.9 互感器二次参数要求

5.9.1 电流互感器和电压互感器的二次绕组数量、准确等级应满足电能计量、测量、保护和安全自动装置的要求，并应符合国家现行标准《继电保护和安全自动装置技术规程》GB/T 14285和《电流互感器和电压互感器选择及计算导则》DL/T 866的有关规定。

5.9.2 电子式互感器准确等级等二次参数应符合现行国家标准《互感器 第7部分：电子式电压互感器》GB 20840.7和《互感器 第8部分：电子式电流互感器》GB 20840.8的有关规定。

6 土　　建

6.1 建、构筑物

6.1.1 建、构筑物及有关设施的设计应统一规划、造型协调、整体性好，便于生产及生活，结构类型及材料品种应合理归并简化，便于备料、加工、施工及运行维护。

6.1.2 建、构筑物的设计应符合国家现行标准《35kV～110kV变电站设计规范》GB 50059、《220kV～750kV变电站设计技术规程》DL/T 5218和《变电站建筑结构设计技术规程》DL/T 5457的有关规定。

6.1.3 站区建筑物应进行合理规划，整合建筑物功能，减少辅助生产及附属生活用房，控制建筑面积。站区建筑物宜包括主控通信楼（室）、继电器小室、配电装置楼（室）及其他辅助生产及附属生活用房。

6.1.4 无人值班变电站辅助生产及附属生活用房宜设置资料室、安全工具间和卫生间等。

6.1.5 无人值班变电站在满足功能要求的前提下，宜减少窗的设置数量。建筑物的外门窗应采取防盗措施。

6.2 采暖、通风和空气调节

6.2.1 采暖、通风和空气调节设计应符合国家现行标准《采暖通风与空气调节设计规范》GB 50019、《35kV～110kV变电站设计规范》GB 50059和《220kV～750kV变电站设计技术规程》DL/T 5218的有关规定。

6.2.2 采暖、通风和空气调节系统应具备自动控制功能，其运行信号宜实现远传。

6.2.3 电气设备房间降温通风系统应根据需要设置温度控制装置，且应能根据设定的上、下限温度自动控制风机启停。

6.2.4 SF_6气体绝缘电气设备所在房间应设置SF_6气体超限报警，当SF_6气体浓度超限时应自动启动机械通风装置。

6.2.5 采暖、通风和空气调节系统应与火灾探测系统联锁，并应配合消防系统设置防火隔断和排烟设备。

6.3 给水和排水

6.3.1 给水和排水系统的设计应符合现行行业标准《变电所给水排水设计规程》DL/T 5143 的有关规定。

6.3.2 生活给水设备应具备自动启停和运行信号远传功能。

6.3.3 消防给水设备应具备自动启停、现场控制及远方控制功能。

6.3.4 消防蓄水池应设置水位监测和传感控制，根据水位变化自动补水，并应设定报警水位。

6.3.5 排水泵站应设置水位监测和传感控制，排水泵的运行应根据水位变化自动控制，其水位超限运行信号宜具备远传功能。

7 消　　防

7.0.1 消防设计应符合现行国家标准《火力发电厂与变电站设计防火规范》GB 50229 和《建筑设计防火规范》GB 50016 的有关规定。火灾探测及报警设计应符合现行国家标准《火灾自动报警系统设计规范》GB 50116 的有关规定。建、构筑物灭火器配置应符合现行国家标准《建筑灭火器配置设计规范》GB 50140 的有关规定。

7.0.2 无人值班变电站主变压器固定式灭火系统的火灾探测及报警信号应实现远传。

8 节能和环保

8.1 节　　能

8.1.1 节能设计应符合国家现行标准《35kV～110kV 变电站设计规范》GB 50059 和《220kV～750kV 变电站设计技术规程》DL/T 5218的有关规定。

8.1.2 设备宜选用低耗能的节能型产品,并应合理选择导体,减少电能损耗。

8.1.3 照明灯具宜采用节能灯具。

8.1.4 建筑物节能应符合现行国家标准《公共建筑节能设计标准》GB 50189 和《采暖通风与空气调节设计规范》GB 50019 的有关规定。

8.2 环　　保

8.2.1 环保设计应符合国家现行标准《35kV～110kV 变电站设计规范》GB 50059 和《220kV～750kV 变电站设计技术规程》DL/T 5218有关规定。

8.2.2 变电站设计应对废水、噪声、电磁影响、水土流失等采取必要的防治措施,减少变电站建设、运行对周围环境的影响。

8.2.3 变电站的污水应单独收集并定期清理,不应外排。

8.2.4 变电站的噪声对周围环境的影响应符合现行国家标准《工业企业厂界环境噪声排放标准》GB 12348 和《声环境质量标准》GB 3096 的有关规定以及批复的环境影响报告的要求。

8.2.5 变电站选址宜避开无线电、工频电磁场干扰敏感点。变电站及进出线正常运行的电磁场强度对环境的影响应符合现行国家标准《环境电磁波卫生标准》GB 9175 和《高压交流架空送电线　无线电干扰限值》GB 15707 的有关规定。

8.2.6 变电站的设计应采取防治水土流失的措施。

9 劳动安全和职业卫生

9.0.1 变电站的劳动安全应符合现行行业标准《220kV～750kV变电站设计技术规程》DL/T 5218的有关规定。

9.0.2 变电站的职业卫生应符合现行行业标准《220kV～750kV变电站设计技术规程》DL/T 5218的有关规定。

附录A 变电站自动化系统结构示意图

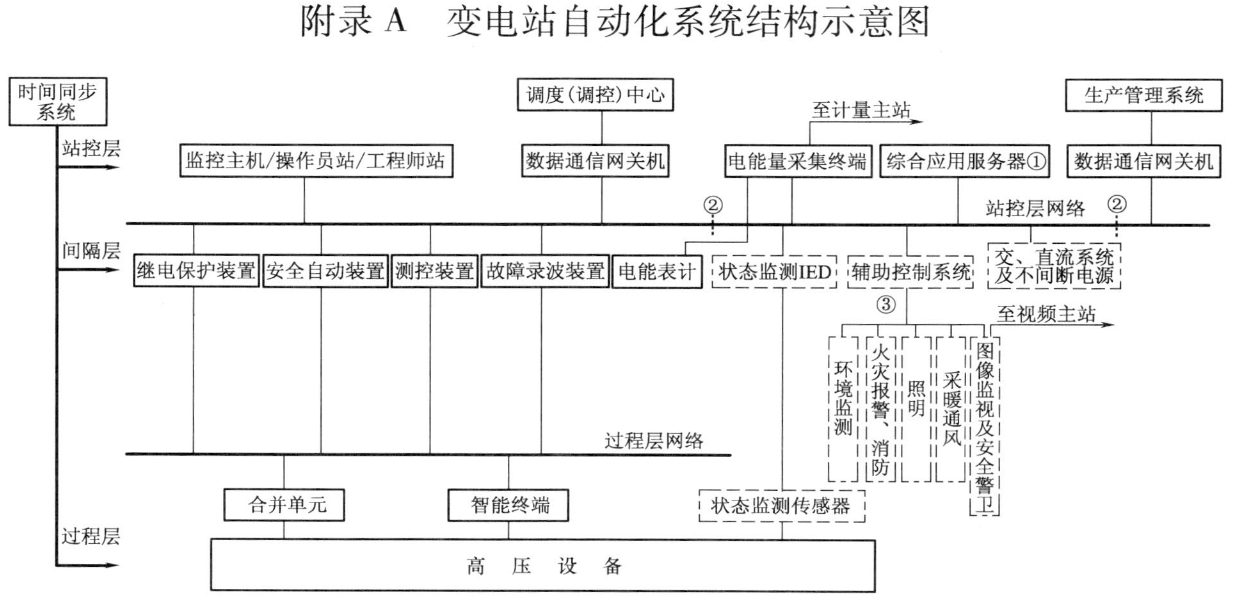

图A 变电站自动化系统结构示意图

①引用于现行国家标准《智能变电站技术导则》GB/T 30155 的相关规定。

②变电站二次安全防护分区可根据生产运行的要求进行划定。

③虚线框内的设备不属于变电站自动化系统,与变电站自动化系统有信息交互。

本规范用词说明

1 为便于在执行本规范条文时区别对待，对要求严格程度不同的用词说明如下：

1)表示很严格，非这样做不可的：

正面词采用“必须”，反面词采用“严禁”；

2)表示严格，在正常情况下均应这样做的：

正面词采用“应”，反面词采用“不应”或“不得”；

3)表示允许稍有选择，在条件许可时首先应这样做的：

正面词采用“宜”，反面词采用“不宜”；

4)表示有选择，在一定条件下可以这样做的，采用“可”。

2 条文中指明应按其他有关标准执行的写法为：“应符合……的规定”或“应按……执行”。

引用标准名录

《建筑设计防火规范》GB 50016
《采暖通风与空气调节设计规范》GB 50019
《建筑照明设计标准》GB 50034
《低压配电设计规范》GB 50054
《35kV～110kV 变电站设计规范》GB 50059
《3～110kV 高压配电装置设计规范》GB 50060
《交流电气装置的接地设计规范》GB/T 50065
《火灾自动报警系统设计规范》GB 50116
《建筑灭火器配置设计规范》GB 50140
《公共建筑节能设计标准》GB 50189
《电力工程电缆设计规范》GB 50217
《并联电容器装置设计规范》GB 50227
《火力发电厂与变电站设计防火规范》GB 50229
《计算机场地通用规范》GB/T 2887
《声环境质量标准》GB 3096
《电磁辐射防护规定》GB 8702
《环境电磁波卫生标准》GB 9175
《计算机场地安全要求》GB/T 9361
《工业企业厂界环境噪声排放标准》GB 12348
《继电保护和安全自动装置技术规程》GB/T 14285
《高压交流架空送电线　无线电干扰限值》GB 15707
《互感器　第 7 部分:电子式电压互感器》GB 20840.7
《互感器　第 8 部分:电子式电流互感器》GB 20840.8
《防火封堵材料》GB 23864

《智能变电站技术导则》GB/T 30155
《交流电气装置的过电压保护和绝缘配合》DL/T 620
《交流电气装置的接地》DL/T 621
《电力系统安全稳定导则》DL 755
《电力自动化通信网络和系统》DL/T 860
《电流互感器和电压互感器选择及计算导则》DL/T 866
《电力用直流和交流一体化不间断电源设备》DL/T 1074
《地区电网调度自动化设计技术规程》DL/T 5002
《电力系统调度自动化设计技术规程》DL/T 5003
《电力工程直流系统设计技术规程》DL/T 5044
《变电站总布置设计技术规程》DL/T 5056
《火力发电厂、变电所二次接线设计技术规程》DL/T 5136
《变电所给水排水设计规程》DL/T 5143
《220kV～500kV 变电所计算机监控系统设计技术规程》DL/T 5149
《220kV～500kV 变电所所用电设计技术规程》DL/T 5155
《电力系统调度通信交换网设计技术规程》DL/T 5157
《电力线载波通信设计技术规程》DL/T 5189
《电能量计量系统设计技术规程》DL/T 5202
《220kV～750kV 变电站设计技术规程》DL/T 5218
《导体和电器选择设计技术规定》DL/T 5222
《220kV～500kV 变电所通信设计技术规定》DL/T 5225
《35kV～220kV 变电站无功补偿装置设计技术规定》DL/T 5242
《高压配电装置设计技术规程》DL/T 5352
《电力调度数据网络工程初步设计内容深度规定》DL/T 5364
《火力发电厂和变电站照明设计技术规定》DL/T 5390
《电力系统同步数字系列(SDH)光缆通信工程设计技术规定》DL/T 5404
《变电站建筑结构设计技术规程》DL/T 5457

中华人民共和国国家标准

110(66)kV～220kV智能变电站设计规范

GB/T 51072－2014

条 文 说 明

制 订 说 明

《110(66)kV～220kV智能变电站设计规范》GB/T 51072—2014，经住房城乡建设部2014年12月2日以第668号公告批准发布。

本规范制订过程中，编制组在调研、总结国内110(66)kV～220kV智能变电站的设计、施工和运行经验的基础上，总结提炼智能变电站试点建设成果，吸收最新科研成果，梳理、细化智能变电站设计相关技术要求，同时参考了国外先进技术标准，形成“安全可靠、成熟适用、经济合理”的智能变电站设计技术原则和要求。

为便于广大设计、施工、科研、学校等单位有关人员在使用本标准时能正确理解和执行条文规定，《110(66)kV～220kV智能变电站设计规范》编制组按章、节、条顺序编制了本规范的条文说明，对条文规定的目的、依据以及执行中需注意的有关事项进行了说明。但是，本条文说明不具备与规范正文同等的法律效力，仅供使用者作为理解和把握规范规定的参考。

目　　次

1　总　　则

1.0.5　本规范章节内容是在变电站现行标准、规范基础上对智能变电站设计的相关规定，重点针对变电站智能化部分的设计内容。常规部分设计内容的相关规定直接引用现行标准、规范。本规范符合变电站现行标准、规范的相关规定，与目前已发布的其他智能变电站现行国家标准、行业标准在技术原则上一致。

2 术　语

2.0.4　本条中IED(intelligent electronic device)为智能电子设备,是指一个或多个处理器协调工作的设备,它具有从(或到)一个外部源接受(或发送)数据/控制(例如,电子式多功能表计、数字继电保护、控制器)的能力。

2.0.7　现阶段装置功能集成的主要原则有:按照被控对象集成,如保护测控集成装置、保护测控计量集成装置等;按照输入数据质量相同集成,如计算机监控系统测控装置与相量测量装置的电流电压测量对采样值的输入数据质量的要求相同,可将两者进行装置的软硬件集成;按照控制策略优化集成,如备自投、过载联切、低频和低压自动减载等功能可由站域保护控制装置实现。集成装置可根据硬件处理的需要采用一个IED或多个IED实现,采用多个IED时,IED之间并非彼此独立的硬件装置,而是由几个IED构成一个系统来共同完成相应功能。

3 站址选择和总布置

3.1 站址选择

3.1.1 现行行业标准《220kV～750kV变电站设计技术规程》DL/T 5218对110(66)kV～220kV智能变电站的站址选择仍适用。

3.1.2 站址选择时一些外部条件如城乡规划、进出线条件、大件设备运输、站外电源等往往成为决定站址成立与否的关键因素，因此应引起足够的重视。

3.1.3 对变电站安全性影响较大且难以采取治理措施的不良地质作用，如滑坡、泥石流、塌陷区和地震断裂地带等，在站址选择时应加以避免。对于可以采取措施治理的场地，站址选择时宜避开不良地质的影响，当不能避开时，应采取治理措施。

3.1.4 变电站用地选择时应贯彻“十分珍惜、合理利用土地和切实保护耕地”的基本国策，可以利用荒地的，不占用耕地、林地、茶场、果园和鱼塘；可以利用劣地的，不占用好地，如采用废弃场地作为智能变电站站址，应对已被污染的废弃地进行处理并使其达到国家标准。

3.1.5 智能变电站对外界的影响主要指地电位升高、电磁感应、无线电干扰等对邻近设施的影响，以及噪声对周围居民区等的影响。周围环境对智能变电站的不良影响主要指污秽、剧烈振动及易燃、易爆的危险场所等对变电站的影响。在城市或旅游区建站时，应注意智能变电站与城建规划和周围环境相互协调。

3.2 总布置

3.2.1 现行行业标准《220kV～750kV变电站设计技术规程》

DL/T 5218 和《变电站总布置设计技术规程》DL/T 5056 对 110(66)kV～220kV 智能变电站的总布置仍适用。

3.2.2 变电站总平面的位置及方向、进站道路、排水路径、线路方向及形式是变电站站区规划的主要内容，也是总布置的基本条件，应结合站址环境条件和规划要求确定，尽量适应站址的环境条件并符合规划要求，同时要获得工程投资的最大行业效益和社会效益。环境条件包括场地水文气象、自然地形和坡度、周围既有的建(构)筑物、交通、排水系统；充分预测风、沙、雪、雨等水文气象对于变电站运行条件的影响，优选总布置的方向、坡度和其他有效的防灾措施；尽量减少由于变电站建设引起的既有建(构)筑物改造或拆迁，同时还应合理利用既有地形，规整用地，减少土石方和边坡工程量，减少水土流失；规划包括当地城乡建设规划、土地利用规划、电力系统规划，应做到相互协调，防止规划冲突；排水路径有地面排水沟渠和地下管道排水。变电站进出线路对于站区周围的建设性土地利用环境具有一定影响，包括电磁场强、观瞻效果，必须协调规划，选择合适的线路方向、形式或其他措施，使影响程度达到可以接受的程度，对既有建(构)筑物和地下与地上既有管线的交叉跨越可以采用架空明线、架空电缆、地下电缆等形式。

3.2.4 智能变电站贯彻节约用地的国家政策，整合建筑物功能，精简不必要辅助生产的附属生活用房，采用联合建筑，提高场地使用效益。

3.2.6 竖向设计时，应充分利用地形，采用平坡式或阶梯式布置，站区排水宜采用自流式排水，减少土石方工程量及排水设施，节约工程投资。

3.2.7 本条明确了智能变电站光缆、电缆的敷设方式。

3.2.8、3.2.9 这两条明确了无人值班或少人值守变电站围墙、大门的安防要求。

4 电气一次

4.1 电气主接线

4.1.1 现行国家标准《35kV～110kV变电站设计规范》GB 50059和现行行业标准《220kV～750kV变电站设计技术规程》DL/T 5218对110(66)kV～220kV智能变电站的主接线设计仍适用。

4.1.3 通过经济技术论证后，在不影响可靠性和必要的灵活性以及操作检修方便性时，可采用断路器较少的接线型式以降低投资。

4.2 高压设备选择

4.2.1 现行行业标准《导体和电器选择设计技术规定》DL/T 5222对110(66)kV～220kV智能变电站的高压设备选择设计仍适用。

4.2.2 本条明确了变电站高压设备的选用应综合考虑可靠性、维护量和经济环保因素。

4.2.3 本条明确了现阶段一次设备智能化需具备"测量数字化、状态可视化、功能一体化和信息互动化"的特征。

4.2.4 应充分考虑到变电站和所监测设备在电网中的重要性，合理选择监测范围和监测方式，满足技术经济合理的要求。

4.2.5～4.2.8 考虑到现阶段状态监测技术的成熟度和相关产品的性价比，明确了一次设备的主要监测范围为主变压器、高压电抗器、组合电器(GIS和HGIS)、柱式断路器和避雷器。

4.2.9 本条提出了互感器的选型和配置原则。

电子式互感器相比常规电磁式互感器具有体积小、抗饱和能力强、线性度好等优势，可避免常规电磁式互感器铁磁谐振、绝缘油爆炸、六氟化硫气体泄漏、CT 断线导致高压危险等固有问题，同时可以节省大量铁芯、铜线等金属材料。

近年来，电子式互感器逐步应用于高压甚至超高压电网，基于不同测量原理的电子式互感器的技术特性及经济性与传统的常规电磁式互感器有较大差异，互感器的选型和配置应兼顾技术先进性和经济性。

智能变电站中，电流、电压信号传输的数字化可以通过配置电子式互感器的方式实现，也可以通过采用常规的互感器并配置合并单元的方式实现。

考虑到电子式互感器一般采用复合材料或 SF_6 气体绝缘，可独立安装，也可与隔离开关和断路器、变压器以及气体绝缘组合电器等其他设备集成安装。

4.3 配电装置及无功补偿

4.3.1 现行国家标准《3～110kV 高压配电装置设计规范》GB 50060 和现行行业标准《高压配电装置设计技术规程》DL/T 5352 对 110(66)kV～220kV 智能变电站的配电装置设计仍适用。

4.3.2 现行国家标准《并联电容器装置设计规范》GB 50227 和现行行业标准《35kV～220kV 变电站无功补偿装置设计技术规定》DL/T 5242 对 110(66)kV～220kV 智能变电站的无功补偿设计仍适用。

4.3.3 当变电站有太阳能、风能等清洁能源的接入要求时，考虑到这些电能存在随机性和波动性的特点，无功补偿的设备选型和配置方案应满足其接入系统的要求，以保障清洁能源的接入和电网自身的稳定可靠。

4.4 过电压保护和接地

4.4.1 现行行业标准《交流电气装置的过电压保护和绝缘配合》DL/T 620 对 110(66)kV～220kV 智能变电站的过电压保护设计

仍适用。

4.4.2 现行国家标准《交流电气装置的接地设计规范》GB 50065对110(66)kV～220kV智能变电站的接地设计仍适用。

4.5 站 用 电

4.5.1 国家现行标准《35kV～110kV变电站设计规范》GB 50059、《低压配电设计规范》GB 50054和《220kV～500kV变电所所用电设计技术规程》DL/T 5155对110(66)kV～220kV智能变电站的站用电设计仍适用。

4.5.2 考虑到节能环保的绿色理念，技术经济合理时，可利用太阳能和风能等清洁能源作为站用电源的补充。

4.6 照 明

4.6.1 现行国家标准《建筑照明设计标准》GB 50034和现行行业标准《火力发电厂和变电站照明设计技术规定》DL/T 5390对110(66)kV～220kV智能变电站的照明设计仍适用。

4.6.2 根据节能理念，在户外照明、建筑物户内通道照明方面应用光控、感应控制等成熟技术手段，实现节能降耗。

4.6.3 照明系统的控制回路应接入变电站的智能变电站辅助控制系统，实现针对设备的灯光远程控制，以便与图像监视、火灾报警、电子围栏等设备的联动控制。

4.7 光、电缆选择及敷设

4.7.1 现行国家标准《电力工程电缆设计规范》GB 50217、《火力发电厂与变电站防火规范》GB 50229和《防火封堵材料》GB 23864对110(66)kV～220kV智能变电站的光、电缆及敷设设计仍适用。

4.7.2 二次设备室内环境较好，宜使用安装方便、成本较低的屏蔽双绞线。跨房间的连接，特别是距离较长或有一部分路径在户外时，宜采用光缆。对于保护 GOOSE 和采样值信息，由于可靠性要求高，在各种干扰下丢包率应为 0，推荐采用光缆连接。

4.7.3 与双重化保护连接的合并单元、智能终端的装置均按照双套配置，为保证两套保护功能上的独立性，用于 SV 采样、GOOSE 跳闸的通信回路应相互独立，实现冗余配置。两面屏柜间多套装置需实现光纤回路的互联时，在保证双重化保护光纤回路不交叉的前提下，多个装置的光纤回路宜共用一根光缆进行连接，用以减少光缆的数量。

4.7.4 保护通道所用光缆为站间连接，距离一般较远，采用单模光缆。变电站内光缆传输距离相对较短，采用多模光缆。当采用槽盒方式敷设时，可采用无金属、阻燃、加强芯光缆；当采用电缆沟敷设时，可采用铠装光缆。户内柜间推荐采用定制的尾缆，安装快速、方便。

4.7.5 当光缆熔接施工现场粉尘较重或环境温度较低时，为提高光缆施工质量，宜采用预制光缆，无需现场熔接工艺，可避免恶劣施工环境对光缆熔接质量造成的影响，同时，插接式的安装方式还能提高光缆现场施工的效率。

5 二次系统

5.1 继电保护及安全自动装置

5.1.1 现行国家标准《继电保护和安全自动装置技术规程》GB/T 14285和现行行业标准《电力系统安全稳定导则》DL/T 755对110(66)kV～220kV智能变电站的继电保护及安全自动装置设计仍适用。

5.1.2 常规的变电站220kV母联(分段、桥)断路器保护按单套配置,智能变电站220kV电压等级过程层网络按双套配置,为确保两套网络的独立性,智能变电站220kV母联(分段、桥)保护可双重化配置。

5.1.3 双重化配置的两套保护装置及其相关设备(互感器绕组、跳闸线圈、合并单元、智能终端、过程层网络设备、保护通道、直流电源等)均应遵循相互独立的原则,当一套设备异常或退出时不应影响另一套设备的运行。

5.1.4 变电站二次设备实现信息采集传输数字化,为二次设备集成创造了条件,成为技术发展的方向,在满足相关技术要求下,110kV及以下电压等级宜采用集成装置,可逐步集成测控、计量、录波等功能。

5.1.5 保护及安全自动装置宜采用数字量直接采样,相关设备满足保护对可靠性和快速性的要求时,也可以采用网络采样。35kV开关柜内布置的保护装置宜采用模拟量电缆采样。

5.1.6 点对点方式跳闸不经过交换机,可减少交换机一个环节。网络方式跳闸接线简单清晰;在满足技术要求的前提下,可采用网络或点对点方式跳闸。

5.1.7 变电站符合集成优化的原则,变电站可配置一套站域保护控制装置，实现备自投、过载联切、低压低周减载等部分或全部功能。

5.1.8 220kV变电站宜按电压等级、主变压器等对象配置故障录波装置；110(66)kV变电站采集的故障录波量较少，因此可根据需要全站统一配置故障录波装置。

5.1.9 对于故障测距装置，为保证测距精度，需考虑故障测距装置的采样频率。

5.2 调度自动化

5.2.1、5.2.2 变电站调度自动化系统设备的配置，应满足与调度(调控)中心及其他主站系统进行信息交互的要求，并可根据安全防护方案灵活配置于不同的安全分区。

5.3 通　　信

5.3.5 变电站通信电源宜纳入站用交直流电源系统统一实现，通信设备通过直流变换电源(DC/DC)装置与站内直流电源共享蓄电池组，容量根据具体工程计算配置。

5.4 变电站自动化系统

5.4.1 现行国家标准《智能变电站技术导则》GB/T 30155和现行行业标准《电力自动化通信网络和系统》DL/T 860系列标准对330kV～750kV智能变电站的变电站自动化系统设计仍适用。与变电站相关的现行行业标准《电力自动化通信网络和系统》DL/T 860主要由下述系列标准组成：《电力自动化通信网络和系统　第1部分：概论》DL/T 860.1、《电力自动化通信网络和系统　第2部分：术语》DL/T 860.2、《电力自动化通信网络和系统　第3部分：总体要求》DL/T 860.3、《电力自动化通信网络和系统　第4部分：系统和项目管理》DL/T 860.4、《电力自动化通信网络和系统　第5部分：功能和设备模型的通信要求》DL/T

860.5、《电力自动化通信网络和系统　第6部分：与智能电子设备有关的变电站内通信配置描述语言》DL/T 860.6、《电力自动化通信网络和系统　第7-1部分：基本通信结构　原理和模型》DL/T 860.71、《电力自动化通信网络和系统　第7-2部分：基本信息和通信结构　抽象通信服务接口（ACSI）》DL/T 860.72、《电力自动化通信网络和系统　第7-3部分：基本通信结构　公用数据类》DL/T 860.73、《电力自动化通信网络和系统　第7-4部分：基本通信结构　兼容逻辑节点类和数据类》DL/T 860.74、《电力自动化通信网络和系统　第8-1部分：特定通信服务映射（SCSM）映射到MMS（ISO/IEC9506第1部分和第2部分以及ISO/IEC8802-3）》DL/T 860.81、《电力自动化通信网络和系统　第9-2部分：特定通信服务映射（SCSM）通过I508802-3传输采样值》DL/T 860.92、《电力自动化通信网络和系统　第10部分：一致性测试》DL/T 860.10等。由于国际电工委员会IEC TC 57委员会还在不断扩充IEC 61850标准，DL/T 860系列标准也将随之进行适当扩充调整。

5.4.2　根据现行行业标准《电力自动化通信网络和系统》DL/T 860系列标准的规定，变电站自动化系统宜按逻辑功能划分为过程层、间隔层和站控层，单一物理设备可以实现多个逻辑功能，在条件成熟的前提下，二次设备可进行集成整合。

5.4.3　现行行业标准《220kV～500kV变电所计算机监控系统设计技术规程》DL/T 5149对110(66)kV～220kV智能变电站的变电站自动化系统设计仍适用。

5.4.4　与常规的变电站相比，智能变电站自动化系统增加了智能告警、故障分析、源端维护、数据辨识等功能，在操作与控制功能中强调了对顺序控制的要求。

5.4.6　本条对智能变电站自动化系统网络作了原则性规定。

1　从可靠性角度考虑，要求站控层网络、过程层网络应相对独立；从扩展性方面考虑，要求网络应方便扩展，宜采用星形网络。

3 要求智能变电站过程层网络宜按电压等级设置；对于220kV 变电站 110kV 过程层网络，考虑主变压器保护均为双套配置，因此要求主变压器 110kV 过程层网络按照双套配置；110kV 线路、母联、分段、桥等保护均为单套配置，因此 110kV 过程层网络宜按单套配置。

5.4.7 本条对智能变电站自动化系统设备配置作了全面概括的规定。

1 在确保安全可靠的前提下，利用信息共享，加强功能整合，提高装置的集成度。

4 220kV 由于保护均为双重化配置，测控单套配置，因此建议 220kV 保护装置、测控装置均独立配置。在满足相关技术要求下，测控装置可逐步实现集成计量、相量测量等功能。

7 220kV 断路器均具有双跳闸线圈，因此智能终端按双套配置；对于 110kV 及以下电压等级断路器大多数只有一个跳闸线圈，因此智能终端按单套配置；考虑 110kV 主变压器电量保护两种配置方案（一种是主变压器电量保护单套配置，主保护与后备保护分开配置；一种是主变压器电量保护双套配置，每套保护包含完整的主、后备保护功能）均具有两套装置，为确保两套装置与智能终端通信的独立性，因此宜相应配置两套智能终端，也可按单套配置。

5.5 直流系统及不间断电源

5.5.1 现行行业标准《电力工程直流系统设计技术规程》DL/T 5044 对直流系统的接线形式、负荷统计、蓄电池容量和组数的选择计算以及充电设备的选择等都有明确的要求，智能变电站直流系统的设计也应遵循上述规定。

5.5.2 现行行业标准《电力用直流和交流一体化不间断电源设备》DL/T 1074 对与直流系统一体化设计的 UPS 电源系统的参数选择等有明确要求，智能变电站 UPS 设计应遵循相关规定。

5.5.3 220kV及以下智能变电站负荷较小，推荐采用一体化电源系统，方便统一运行管理。一体化电源系统中站用直流电源、UPS电源、通信直流电源共用蓄电池组，通过电源监控模块统一监视控制，并整体设计供货。

5.5.4 220kV及以下智能变电站通信电源容量不大，通信屏柜与二次屏柜一般布置在同一房间，推荐站内直流电源进行DC/DC变换以取得通信电源，不设独立的通信蓄电池组。

5.5.5 智能控制柜内装设多台装置时，如为每台装置分别提供直流电源，会造成直流回路大量增加，宜提供公用直流电源，柜内采用独立空气开关分别为不同装置供电。当柜内装置有两套保护及其对应的合并单元、智能终端、交换机等设备时，应按照双重化的保护回路各自独立的原则分别提供公用直流电源。

5.6 时间同步系统

5.6.1 现行行业标准《220kV～500kV变电所计算机监控系统设计技术规程》DL/T 5149—2001中第6.12节对时钟同步系统的功能、配置作出了规定，智能变电站时钟同步系统也应遵循上述规定。

5.6.2 智能变电站时钟同步系统主时钟宜双重化配置，采用主备模式。电力安全关系国民经济命脉，应优先采用我国的北斗系统。

5.6.3 站控层设备时钟同步精度要求低（ms级），可采用SNTP网络对时，节省投资。间隔层和过程层设备时钟同步精度要求高（μs级），采用IRIG－B、1pps对时方式才能满足要求。IEC 61588网络对时方式理论上满足ns级对时要求，但需要网络交换机等设备的支持。

5.7 辅助控制系统

5.7.1 辅助控制系统的范围包括图像监视及安全警卫、火灾报警、消防、照明、采暖通风、环境监测等系统，通过信息的统一采集处理，可实现各系统间的联动。

5.7.2 辅助控制系统与监控系统之间的通信宜采用现行行业标准《电力自动化通信网络和系统》DL/T 860 系列标准中的通信标准的规定，内部各子系统间的通信也可采用 RS485 等方式。

5.8 二次设备布置及组柜

5.8.1 本条是对现行行业标准《220kV～750kV 变电站设计技术规程》DL/T 5218—2001 中第 7.7.1 条规定的修改，针对无人值班的运行管理模式调整了需考虑的因素。

5.8.2 二次设备室的屏间距离和通道宽度的具体规定可参考现行行业标准《电力工程直流电源系统设计技术规程》DL/T 5044 规定的直流屏柜的间距要求。二次设备室宜按最终规模规划本期、远期预留、备用屏柜的数量。间隔层设备集中布置时，备用屏柜不宜低于 10%；间隔层设备就地分散布置时，备用屏柜不宜低于 15%。

5.8.3 新建的 220kV 及以下智能变电站一般均为无人值班站，宜取消主控制室，将通信设备间与继电器室合并为公用的二次设备室。

5.8.4 在现行行业标准《220kV～750kV 变电站设计技术规程》DL/T 5218—2001 中第 7.7.5 条的基础上明确了应遵循的相关规范。

5.8.5 220kV 及以下智能变电站一般为无人值班变电站，可取消操作台，将站控层主机类设备组屏布置，有利于运行安全。智能变电站电缆接线减少，柜内空间富裕，间隔层设备宜按串或按间隔多装置统筹组柜，以减少屏柜数量和用房面积。过程层设备作为一次设备的接口装置，宜布置在就地智能控制柜内，节省控制电缆。智能控制柜应满足二次元件的工作环境要求。

5.8.6 220kV 及以下智能变电站站控层中心交换机数量少，可与联系紧密的站控层设备合并组柜；站控层分支交换机连接各间隔设备,宜集中组柜;过程层交换机按间隔配置,宜随间隔设备组柜,连接介质最少。

5.9 互感器二次参数要求

5.9.1 现行国家标准《继电保护和安全自动装置技术规程》GB/T 14285从保护及安全自动装置需求的角度对常规的电流互感器、电压互感器和电子式互感器的技术要求进行了规定。智能变电站互感器配置原则上应符合上述规定,但在互感器接地上,考虑合并单元的应用,电流互感器和电压互感器均宜就地一点接地。

5.9.2 当采用电子式互感器时,电子式互感器的二次参数、准确等级和有关性能应符合现行国家标准《互感器　第7部分:电子式电压互感器》GB 20840.7和《互感器　第8部分:电子式电流互感器》GB 20840.8的规定。

6 土　　建

6.1 建、构筑物

6.1.1 本条规定了变电站土建设计基本设计要求。

6.1.2 本条提出了变电站建、构筑物设计的基本规定。

6.1.3 本条提出了智能变电站建筑物设置的一般要求及设计原则。

6.2 采暖、通风和空气调节

6.2.2 采暖和空气调节设备应配置温度控制器以实现自动控制功能。智能变电站内设有辅助控制系统，采暖、通风和空气调节设备宜配置通信接口，纳入辅助控制系统，以实现信号远传及远程控制。

6.2.3 电气设备房间降温通风系统应设置温度控制装置，室温达到设定温度上限时启动，下限时关闭，可以有效地降低运行能耗和减少运行噪声。应参照室内温度设计参数、室外气象条件等选择温度上、下限数值，上、下限温度差不宜过小，避免风机频繁启停。

6.3 给水和排水

6.3.2 生活给水设备应纳入变电站辅助控制系统，以实现运行信号上传及远程控制。

6.3.4 消防蓄水池应根据水位变化自动补水，并且应设定报警水位。报警水位的高度应设定在停止补水水位和溢流水位之间，并设置适当的梯度。

7 消　　防

7.0.2　变压器或电抗器固定式灭火装置的选择应根据水源情况、气候条件、经济合理性等综合选择。固定式灭火装置一般包括合成泡沫喷淋灭火系统和排油注氮灭火装置。

8 节能和环保

8.1 节　　能

8.1.1 国家现行标准《3～110kV 变电站设计规范》GB 50059 和《220kV～750kV 变电站设计技术规程》DL/T 5218 对 110(66)kV～220kV 智能变电站的节能设计仍适用。

8.1.2 本条对电力设备和导体的选择提出了总体要求，在满足相关标准和规范要求的同时尽量选择损耗水平更低的设备和导体。

8.1.3 在满足照度要求的前提下，为实现绿色、和谐的工作环境，减少污染和照明损耗，变电站照明灯具应采用节能灯具。

8.1.4 本条提出变电站建筑物的节能要求。

8.2 环　　保

8.2.1 国家现行标准《3～110kV 变电站设计规范》GB 50059 和《220kV～750kV 变电站设计技术规程》DL/T 5218 对 110(66)kV～220kV 智能变电站的环保设计仍适用。

8.2.2 变电站污水应进行处理，避免对周围环境产生不利的影响。

8.2.3 变电站噪声首先应从声源上进行控制。对于无法根治的生产噪声，应采取有效的噪声控制措施，如采用音障壁和迂回通风道，对变压器室、通风道等做吸音处理等。噪声治理措施不应对变电站的安全运行带来不利影响。

8.2.5 本条提出了变电站水土保持应执行的相关规定及措施。

9 劳动安全和职业卫生

9.0.1 现行行业标准《220kV～750kV 变电站设计技术规程》DL/T 5218 对 110(66)kV～220kV 智能变电站的劳动安全仍适用。

9.0.2 现行行业标准《220kV～750kV 变电站设计技术规程》DL/T 5218 对 110(66)kV～220kV 智能变电站的职业卫生仍适用。